A
CAN
TORA
CA
RECA
de
massin

organização e textos
gustavo piqueira

coleção
gráfica
particular | Lote 42 & CASA REX

ionesco
LA CANTATRICE CHAUVE

suivie d'une scène inédite. Interprétations typographique de Massin et photo-gr
d'Henry Cohen d'après la mise en scène de Nicolas Bataille. Editions Ga

nrf

ionesco
LA CANTATRICE CHAUVE

suivie d'une scène inédite. Interprétations *typographique* de Massin et *photo-graphique* d'Henry Cohen d'après la mise en scène de Nicolas Bataille   Éditions Gallimard

"A imagem é a linguagem universal da humanidade. Ela surgiu nas abóbadas das cavernas pré-históricas bem antes que o homem pensasse em erguer templos ou tumbas. Milhares de anos a separam da escrita, a projeção abstrata do pensamento."

"A sociedade humana, o mundo, todo o homem está no alfabeto. Construção, astronomia, filosofia e todas as ciências encontram nele um invisível, porém real, ponto de partida."

Os trechos acima fazem parte de *La Lettre et l'Image*, de 1970, de autoria do francês Robert Massin — ou apenas Massin, como passou a assinar seus projetos a partir dos anos 1950. O subtítulo da obra, *A Figuração no Alfabeto Latino do Século VIII aos Nossos Dias,* pode transmitir a sensação de um livro técnico e um tanto enfadonho. Seria, contudo, grave engano: uma rápida folheada nas primeiras páginas e logo fica evidente que o autor foge de estéreis discussões intramuros para se debruçar sobre a permeabilidade entre as linguagens visual e escrita, além da relação de ambas com o mundo que as (e nos) rodeia. Não à toa, a inusitada proposta de *La Lettre et l'Image*, elaborada numa curiosa mescla de erudição e indisfarçável paixão pelo assunto, ganhou prefácio de Raymond Queneau e comentários de Roland Barthes.

Inusitada, aliás, é palavra das mais adequadas para se descrever a trajetória de Massin. Nascido em 1925, na pequena Bourdinière-Saint-Loup, a sudoeste de Paris, em 1948 começou a trabalhar no Club Français du Livre, migrando em 1952 para o Club du Meilleur Livre, onde logo se tornou diretor de arte. Muito populares na França do pós-guerra, clubes como esses traziam particularidades para o projeto gráfico de um

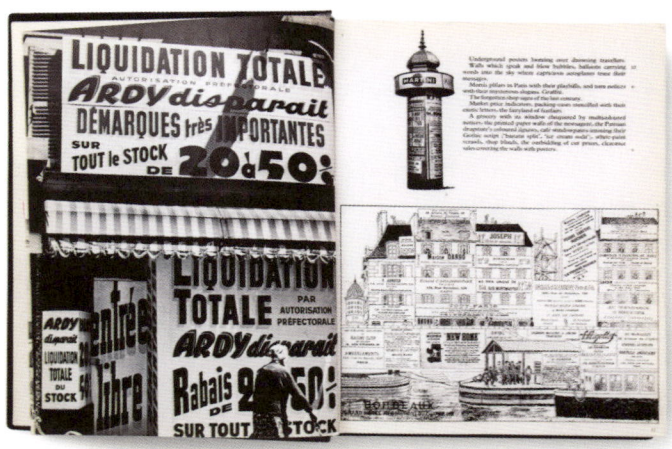

La Lettre et l'Image *(1970)*

livro: como não eram vendidos em livrarias, não precisavam atender a uma série de parâmetros objetivos aos quais um volume exposto em prateleira está normalmente submetido, tanto em termos de informação — título e autor facilmente legíveis na capa, por exemplo — quanto de acabamento. Durante sua passagem pelo Club du Meilleur Livre, então o mais prestigioso dos clubes franceses, Massin tirou proveito dessa amplitude de possibilidades para abusar de discursos gráficos e materiais não usuais. A maior parte de seu percurso como designer gráfico, porém, foi construída numa editora "regular": em 1958, Massin entrou para a Gallimard, onde, três anos depois, assumiria o recém-criado departamento de arte da renomada casa editorial, cargo que ocupou por duas décadas, executando milhares de projetos gráficos (é dele, por exemplo, o design da icônica coleção Folio).

Contudo, apesar do inquestionável êxito de sua carreira formal, foi na produção pessoal, desenvolvida paralelamente ao dia a dia na Gallimard, que Massin realizou seus projetos de maior envergadura. Em 1963, para *Exercices de Style*, do já citado Queneau, ele executou aberturas tipográficas para cada uma das noventa e nove versões da mesma história que compõem a obra. Se, por um lado, algumas das interpretações hoje parecem um pouco ingênuas, dois dos traços marcantes de sua criação futura já são visíveis: liberdade na escolha de fontes das mais variadas e combinação de letras com imagens figurativas como se pertencentes a uma mesma linguagem.

Exercices de Style *(1963)*

La Cantatrice Chauve *(1964, 21 x 27 cm, 192 páginas)*

A relativa timidez das intervenções de *Exercices de Style*, no entanto, dificilmente prenunciava que, apenas um ano depois, Massin produziria sua mais incensada obra: *La Cantatrice Chauve — A Cantora Careca —*, radical versão gráfica da célebre peça do dramaturgo romeno Eugène Ionesco. Um amálgama de senso histórico com cultura popular, limitações técnicas com inventividade e, claro, imagem com texto. Já se tentou defini-la como "literatura visual" (algo tão estranho quanto afirmar que uma peça de teatro é "literatura sonora"), entre outros termos igualmente esdrúxulos. Mas qualquer tentativa de categorizar *A Cantora Careca* de Massin é, no fundo, inócua; nada além de uma demonstração de nossa obsessão ocidental por classificarmos tudo aquilo que encontramos pela frente (para citar Barthes, já que ele está aqui por perto).

Escrita em 1949, a peça de Ionesco foi um dos marcos iniciais do chamado Teatro do Absurdo, vertente que tem no dramaturgo um de seus maiores expoentes. Num único ato, dois casais — os Smith e os Martin —, uma empregada e um chefe dos bombeiros trocam diálogos completamente disparatados, fúteis e sem sentido (cuja inspiração Ionesco tirou de um método para aprender inglês), numa avalanche de ironia verbal que o romeno constrói para evidenciar toda a nossa incomunicabilidade e solidão, toda a banalidade da vida humana. Alguns afirmam que, a despeito dos seis atores, o grande protagonista da peça é a linguagem — a palavra tornada "objeto palpável". Numa apresentação resumida, pode-se considerar ter sido isso o que Massin fez em sua leitura gráfica da obra: equiparou a palavra impressa aos atores, ambos parte de um único código de comunicação.

Os recursos do qual se serviu parecem, à primeira vista, quase óbvios de tão simples: alternar escalas de personagens, variar fontes tipográficas e diferentes graus de preenchimento da página para, com isso, transmitir no papel andamento e dinamismo semelhantes aos que, da plateia,

assistimos desenrolar-se no palco. Essa aparente facilidade, contudo, não é reflexo de um suposto processo de execução elementar, mas sim a grande prova de sua excelência. Perfeccionista, Massin não apenas assistiu vinte vezes à encenação da peça, como também gravou-a em áudio para captar os mínimos detalhes necessários à representação visual de cada inflexão, de cada pausa. As fotos, feitas em estúdio por Henry Cohen com os atores que encenavam *A Cantora Careca* no Théâtre de la Huchette, compartilharam da mesma obsessão: cada cena foi registrada inúmeras vezes na busca pela expressão exata. A peça, portanto, transcorre com naturalidade pelo livro, pois foi meticulosamente planejada para tal. Não deixa de ser curioso, porém, que um dos grandes trunfos visuais da obra — a perfeita integração gráfica entre a figura dos atores e suas falas — tenha se originado de uma necessidade bastante pragmática: como a Gallimard não apostava no êxito comercial do projeto, optou-se por evitar o uso de

meios-tons para, assim, baratear os custos de produção. Daí as fotos em alto contraste, que, mescladas à tipografia, fundem linguagens originalmente distintas e criam uma espécie de sistema simbólico ímpar. Muitas das questões que Massin elaborará posteriormente em obras teóricas como *La Lettre et l'Image* emergem aqui, vivas: a "transferência de identidade" entre letra e imagem; a "transição de um estado a outro (do concreto ao abstrato e vice-versa)". Cada personagem tem seu próprio rosto — o rosto do ator que o interpreta — e sua própria voz — o desenho da fonte tipográfica que imprime suas falas. Mas qual é mesmo a função de cada linguagem? Com elegância e sutileza, Massin borra as fronteiras com as quais nos habituamos a dividi-las. Em *La Lettre et l'Image*, aliás, ele discorre sobre *A Cantora Careca* — estranhamente, sem outorgar para si a autoria do projeto:

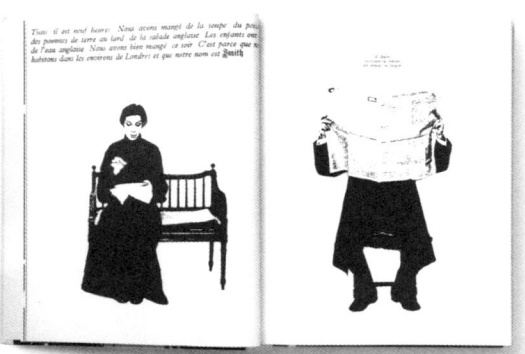

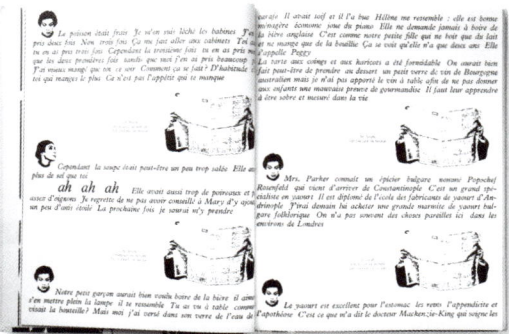

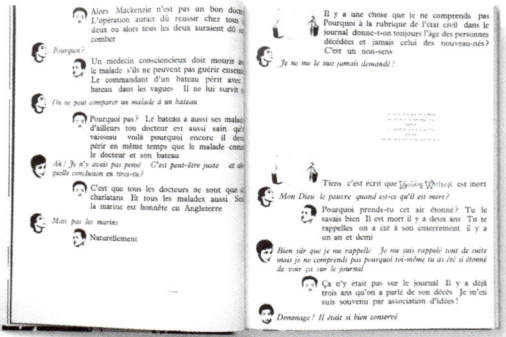
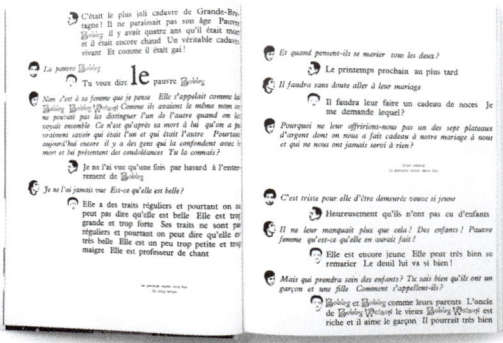

"…um outro exemplo de texto 'visível' é a interpretação tipográfica de **A Cantora Careca** de Ionesco, que oferece um novo modo de se ler uma peça. Seu design combinou as técnicas do cinema às das histórias em quadrinhos, além de utilizar as verdadeiras faces dos atores, que adquiriram a aparência de um ideograma pelas mãos do fotógrafo Henry Cohen. Atuando como uma espécie de diretor de cena, o designer busca transmitir a atmosfera, o movimento, as falas e os silêncios da peça, tentando ao mesmo tempo passar uma ideia de duração temporal e espacialidade do palco através do simples jogo entre imagem e texto. Essa tentativa não foi a primeira desse tipo…"

se encarregar da educação do Bobby

Seria natural. E a tia de Bobby Watson, a velha Bobby Watson, poderia muito bem, por sua vez, se encarregar da educação de Bobby Watson, a filha de Bobby Watson. Assim, a mãe de Bobby Bobby poderia se casar de novo. Ela já está com alguém em vista?

Sim, um primo de Bobby Watson

Quem? Bobby Watson?

De qual Bobby Watson você está falando?

De Bobby Watson, o filho do velho Bobby Watson, o outro tio de Bobby Watson, o morto?

Não, não é este, é outro. É Bobby Watson, o filho da velha Bobby Watson, a tia de Bobby Watson, o morto

Você está querendo dizer Bobby Watson, o caixeiro viajante?

Todos os Bobby Watson são caixeiros viajantes

Que profissão dura! No entanto, faz-se bons negócios

Sim, quando não há concorrência

E quando é que não há concorrência?

Às terças, quintas e terças

Ah, três dias por semana? E que faz Bobby Watson neste período?

Ele descansa, ele dorme

Mas por que é que ele não trabalha nesses três dias

se não há concorrência?

 Eu não posso saber tudo   Não posso responder a todas as suas perguntas idiotas!

 (ofendida)
Você está dizendo isso para me humilhar?

 (todo sorridente)
Você sabe muito bem que não

 Os homens são todos iguais! Vocês ficam aí   o dia inteiro com o cigarro na boca ou então passando pó-de-arroz e pintando os lábios   cinquenta vezes por dia   quando não ficam bebendo sem parar!

 Mas que é que você diria se visse os homens fazerem como as mulheres fumando o dia inteiro, se empoando passando batom   bebendo uísque?

 Por mim estou pouco ligando! Se você está dizendo isso para me aborrecer   então   você sabe muito bem que não gosto de brincadeiras desse tipo!

 Atira longe as meias e mostras os dentes. Levanta-se.
(que se levanta e se encaminha para a mulher, ternamente)
Ah   meu franguinho assado por que é

que você está cuspindo fogo! você sabe que eu estou dizendo isso de brincadeira!

(Pega-a pela cintura e dá-lhe um beijo.)

Que ridículo casal de velhos namorados nós somos! Venha   vamos parar com isso e vamos nanar!

 # Eu sou

Mary (entrando)

a empregada

Passei uma tarde muito agradável. Fui ao cinema com um homem e vi um filme com mulheres. Na saída do cinema fomos beber aguardente e leite e depois lemos o jornal.

Espero que você tenha passado uma tarde bem agradável, que tenha ido ao cinema com um homem e que tenha bebido aguardente e leite.

E o Jornal!

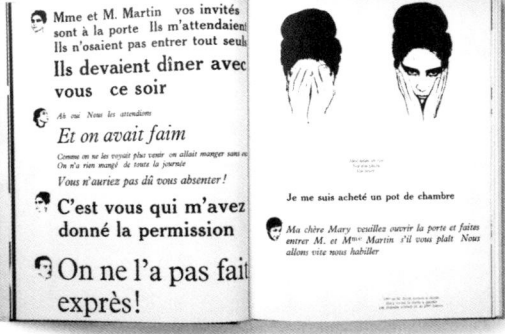
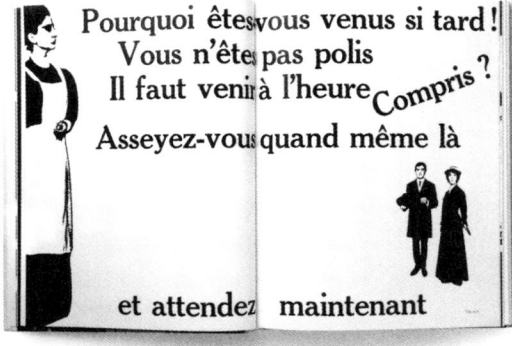

De fato, a exploração da tipografia como elemento ativo no discurso visual não foi algo inventado por Massin. Ele mesmo, na continuação do trecho anterior, se prontifica a listar aqueles que considera pioneiros do recurso. Alguns são citações recorrentes, como as vanguardas do início do século XX, especialmente dadaísmo e futurismo, ou o poema *Un coup de dés jamais n'abolira le hasard,* de Mallarmé, precursor da utilização dos elementos gráficos e espaciais de uma página como parte integrante de seu conteúdo. Para Massin, contudo, o marco inaugural foi outro: os sinais gráficos e as áreas em branco incumbidos de função narrativa pelo clérigo britânico Lawrence Sterne em seu delirante *A Vida e as Opiniões do Cavalheiro Tristram Shandy,* de 1759. Como também era frequente no período, Massin inclui um punhado de peças publicitárias como boas demonstrações das possibilidades de incorporação do desenho das letras na construção

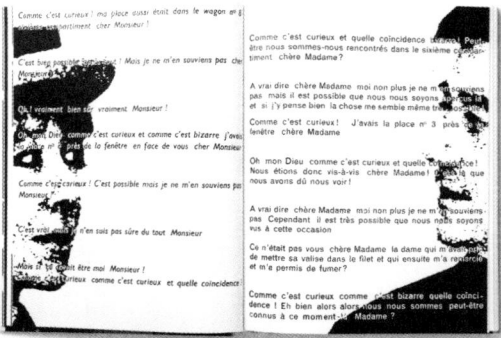
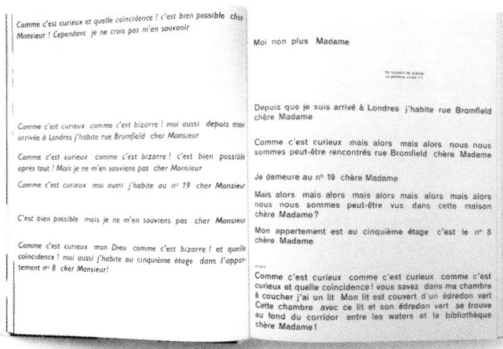
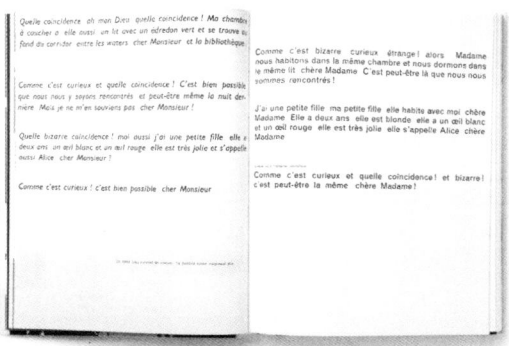

de mensagens visuais, externando um encanto quase impensável hoje, em tempos de demonização do hiperconsumo. De qualquer modo, independentemente da quantidade — e da qualidade — da lista de explorações prévias da "tipografia expressiva", principal esteio de *A Cantora Careca*, seus méritos seguem intactos: Massin embaralhou papéis, misturou recursos e linguagens diversas — foto, tipografia e design da página; cinema e quadrinhos — na tradução gráfica de uma peça de teatro; e saiu-se com uma obra pra lá de original.

    Ao que consta, Ionesco quase não interferiu na adaptação. Solicitou apenas que o texto se mantivesse legível, permitindo a eliminação da pontuação — exceção feita às exclamações e interrogações —, além da alteração de algumas indicações de cena, que Massin apontou como uma das maiores dificuldades na transposição do espaço tridimensional para as limitações do impresso:

Élisabeth je t'ai retrouvée!
Donald c'est toi darling!

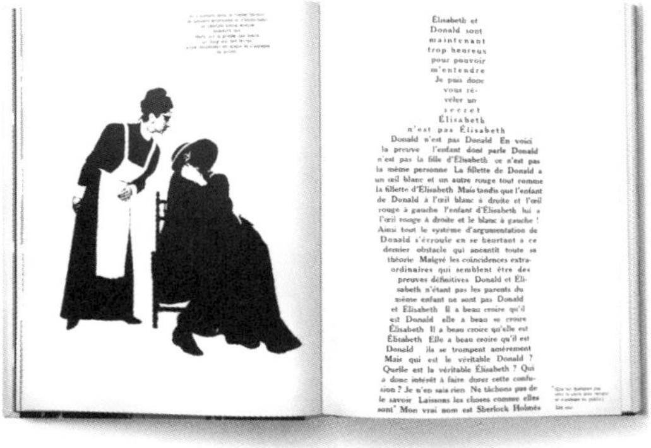
Élisabeth et Donald sont maintenant trop heureux pour pouvoir m'entendre Je puis donc vous révéler un secret Élisabeth n'est pas Élisabeth Donald n'est pas Donald En voici la preuve l'enfant dont parle Donald n'est pas la fille d'Élisabeth ce n'est pas la même personne La fillette de Donald a un œil blanc et un autre rouge tout comme la fillette d'Élisabeth Mais tandis que l'enfant de Donald à l'œil blanc à droite et l'œil rouge à gauche l'enfant d'Élisabeth lui a l'œil rouge à droite et le blanc à gauche ! Ainsi tout le système d'argumentation de Donald s'écroule en se heurtant à ce dernier obstacle qui anéantit toute sa théorie Malgré les coïncidences extraordinaires qui semblent être des preuves définitives Donald et Élisabeth n'étant pas les parents du même enfant ne sont pas Donald et Élisabeth Il a beau croire qu'il est Donald elle a beau se croire Élisabeth Il a beau croire qu'elle est Élisabeth Elle a beau croire qu'il est Donald ils se trompent amèrement Mais qui est le véritable Donald ? Quelle est la véritable Élisabeth ? Qui a donc intérêt à faire durer cette confusion ? Je n'en sais rien Ne tâchons pas de le savoir Laissons les choses comme elles sont* Mon vrai nom est Sherlock Holmès

Oublions darling tout ce qui ne s'est pas passé entre nous et maintenant que nous nous sommes retrouvés tâchons de ne plus nous perdre et vivons comme avant
Oui darling
Bonsoir chers amis ! excusez-nous de vous avoir fait attendre si longtemps Nous avons pensé qu'on devait vous rendre les honneurs auxquels vous avez droit et que nous avons appris que vous vouliez bien nous faire le plaisir de venir nous voir sans annoncer votre visite nous nous sommes dépêchés d'aller revêtir nos habits de gala
Nous n'avons rien mangé toute la journée Il y a quatre heures que nous vous attendons Pourquoi êtes-vous venus en retard?

hm

hm hm

hm hm hm

hm hm hm hm

Oh décidément

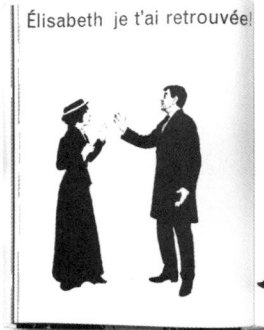

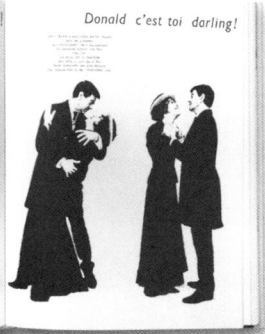

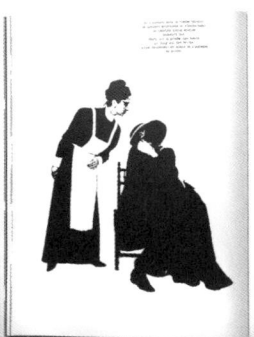

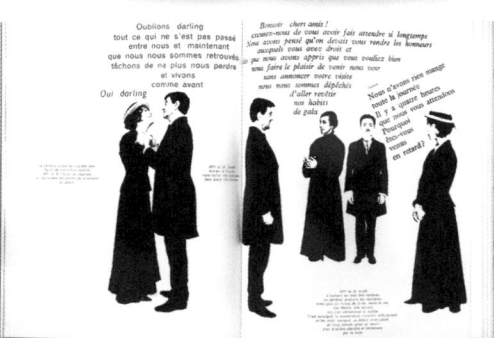

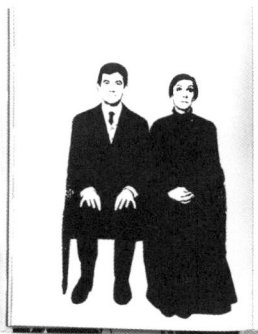

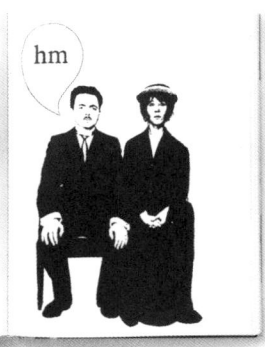

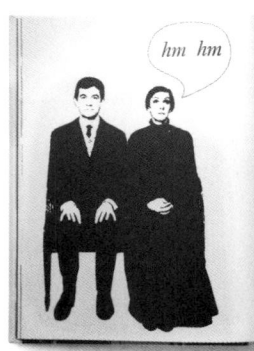

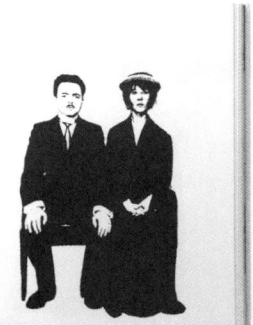

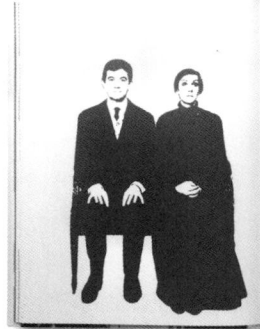

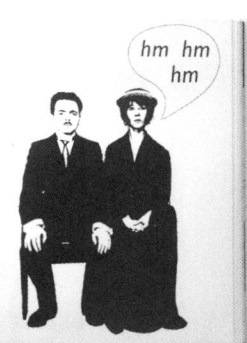

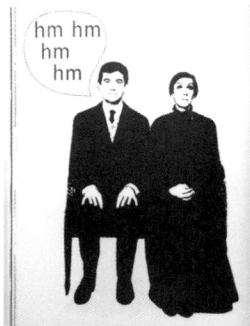

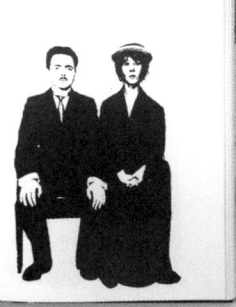

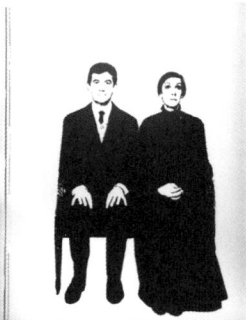

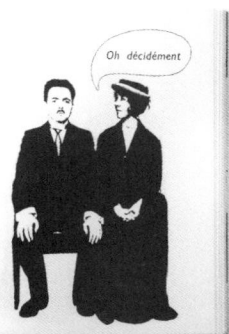

"Algumas vezes eu os amaldiçoava (os atores) por quererem estar sempre em movimento e me forçando a espremer o texto. Também foi difícil manter as respostas na ordem correta, forçando-me a intercalar e sobrepor balões de fala. Não havia como eu pudesse negar dois mil anos de tradição, no Ocidente, de leitura da esquerda para a direita e de cima para baixo. Mas o maior problema, que acredito ter solucionado, foi a transposição do espaço do palco para as duas dimensões da página do livro. O que eu realmente quis, desde o princípio, foi manter o leitor ciente da passagem do tempo e da noção de espaço."

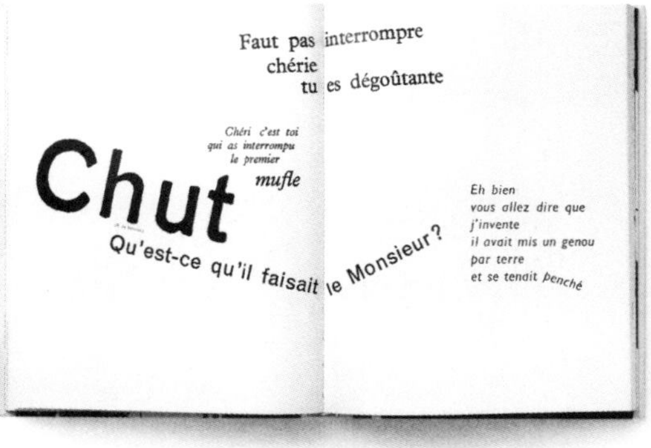

  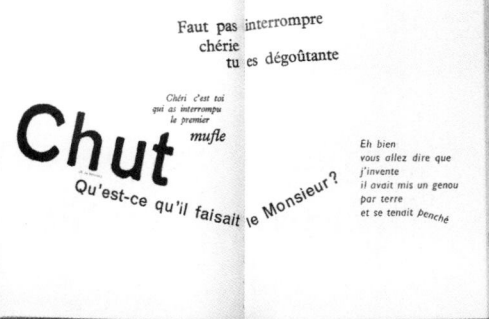

As queixas acerca dos percalços que enfrentou não eram despropositadas: basta comparar a edição original francesa com as duas traduções para o inglês — a norte-americana *The Bald Soprano* (Grove Press, 1965) e a britânica *The Bald Prima Donna* (Calder and Boyars, 1966) para se constatar o quanto uma variação mais sensível no número de letras de uma palavra ou na construção gramatical de uma frase pode obrigar a execução de sensíveis rearranjos na composição visual. Pelo mesmo motivo, quase nenhuma das páginas aqui vertidas para o português escapou de algum ajuste gráfico — de algum "ajuste de cena" —, ainda que mínimo.

Edição francesa

Edição norte-americana

Edição britânica

Ao contrário da versão norte-americana, bastante fidedigna ao original francês em termos de diagramação, a edição britânica realiza algumas alterações por conta própria, como a interpretação literal da palavra pieces *("pedaços") visualmente.*

  *Edição francesa*

  *Edição norte-americana*

  *Edição britânica*

 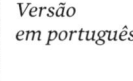 *Versão em português*

Comparando-se as quatro versões, é possível perceber o quanto é necessário mover a posição da empregada Mary em função do tamanho das palavras "eu sou" em cada língua.

É curvado Eu me aproximei para ver o que ele estava fazendo

E então?

Ele estava amarrando o cordão do sapato que havia desamarrado

fantás

Por que não?
A gente vê coisas
mais extraordinárias
ainda quando
anda por aí
Eu mesmo vi hoje no
metrô   sentado num banco
um senhor que lia
tranquilamente o jornal

Que original!

tico!

Se não fosse
a senhora que
dissesse não
acreditaria

Talvez fosse o mesmo!

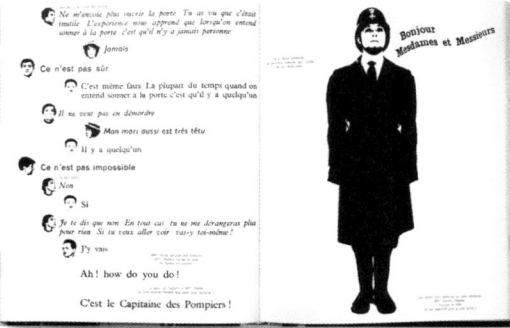

 **Sim   era eu**

 O senhor estava à porta? Estava tocando para entrar?

 **Não posso negar**

 (à sua mulher, vitoriosamente) Está vendo? Eu tinha razão   Quando se ouve a campainha tocar   é porque alguém está tocando   Você não pode dizer que o Capitão não é alguém

 *Certamente que não   Repito que estou falando somente das três primeiras vezes pois a quarta não conta*

 *E quando tocaram a primeira vez era o senhor?*

 Não   não era eu

 Estão vendo? Estavam tocando a campainha e não havia ninguém

 Talvez fosse outra pessoa?

 Fazia muito tempo que o senhor estava à porta?

 **45 minutos**

 E o senhor não viu ninguém?

 Ninguém   Tenho certeza

 *O senhor ouviu quando tocaram a segunda vez?*

**Sim   mas também não fui eu
E continuava a não ter ninguém**

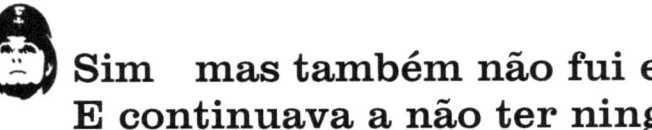
Vitória! Eu tinha razão

(à sua mulher)
Ainda não

(Ao bombeiro.) **E que é que o senhor estava fazendo na porta?**

 **Nada   Eu estava lá   Estava pensando num monte de coisas**

(ao Bombeiro)
Mas a terceira vez   não foi o senhor que tocou?

 Sim   fui eu

 Mas quando abriram a porta não viram o senhor

É porque eu me escondi para rir

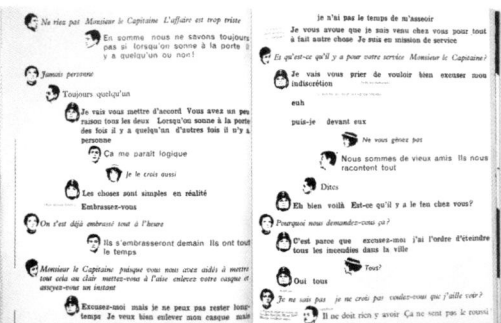
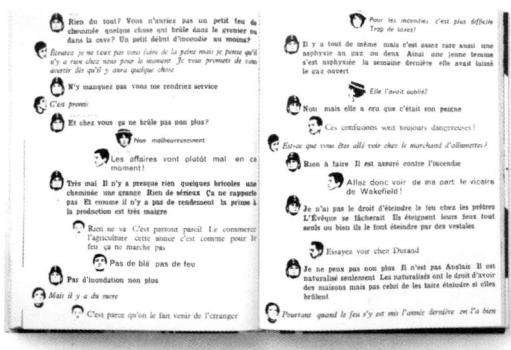
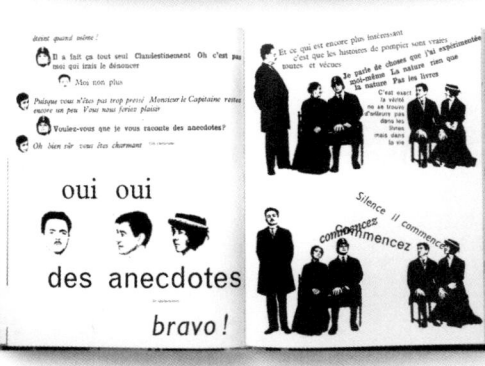

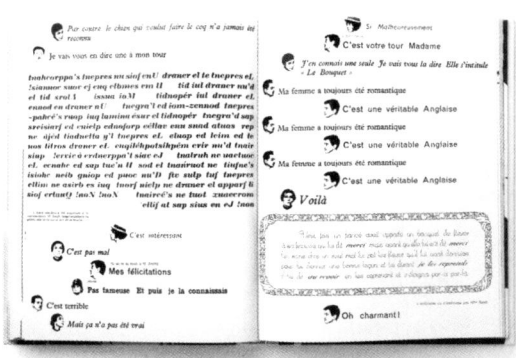
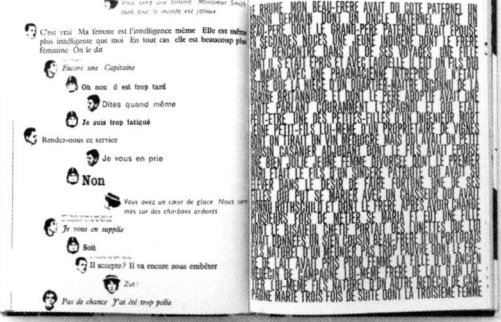

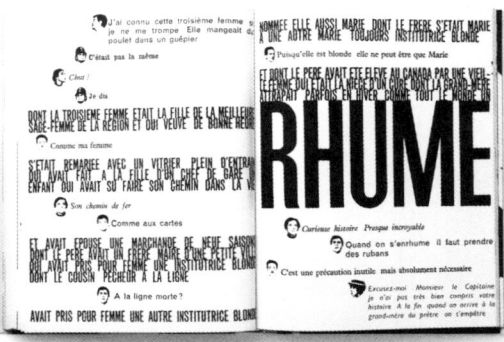

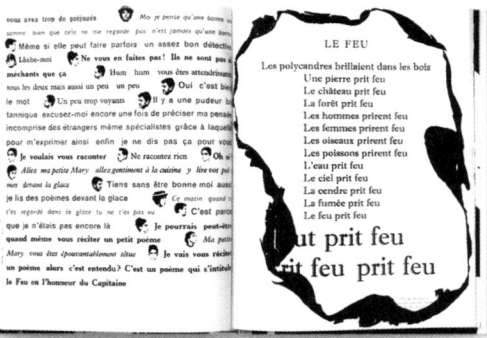

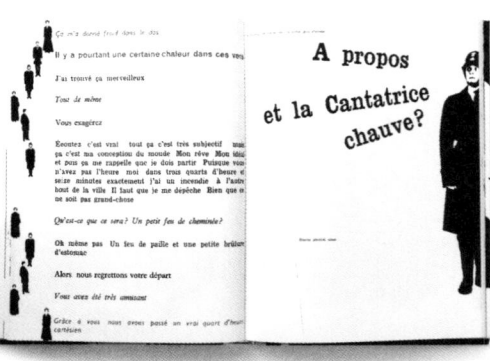

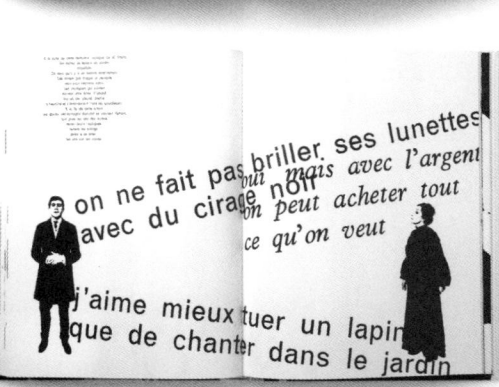

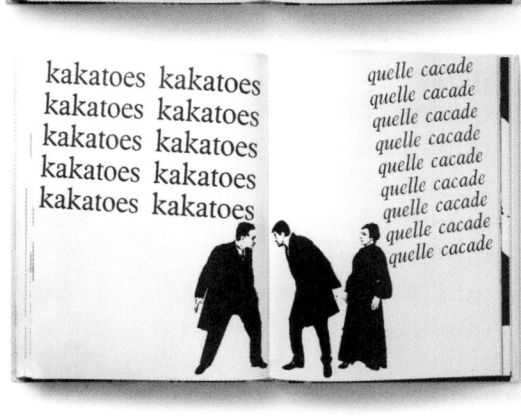

que cascata

que cascata

que cascata

que cascata

que cascata

que cascata

que cascata

que cascata

de cagadas
de cagadas
de cagadas
de cagadas
de cagadas
de cagadas
de cagadas
de cagadas

Spread 1 (top left)

les chiens ont des puces
les chiens ont des puces cocardard ! cochon !
cactus coccyx coccus encaqueur tu nous encaques

j'aime mieux pondre un œuf
que voler un bœuf

Spread 2 (top right)

ah ! oh ! allons oh ! des dents
laissez-moi grimper caïman Ulysse

je m'en vais habiter ma
cagna dans moment du cacao
les cacaoyers, des cacaoyers donnent des cacahuètes, des cacahuètes donnent du cacao
les cacaoyers, des cacaoyers donnent des cacahuètes, des cacahuètes donnent du cacao

Spread 3 (middle left)

les souris ont des sourcils
les sourcils n'ont pas de souris
touche pas ma babouche !
bouge pas la babouche !
touche la mouche, touche pas la touche
la mouche ne touche pas la touche
mouche le chasse-mouche
escarmouche, escarmouche
Scaramouche Nitouche
Sainte Nitouche
t'en couche
as-tu couché
tu m'embouches ma cartouche
Sainte Nitouche touche mu

Spread 4 (middle right)

n'y touchez pas elle est brisée

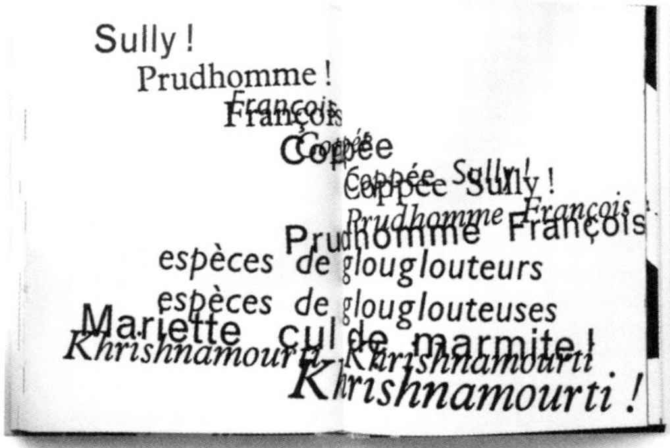

Spread 5

Sully !
Prudhomme !
François
Coppée
Coppée Sully !
Coppée Sully !
Prudhomme François
Prudhomme François
espèces de glouglouteurs
espèces de glouglouteuses
Mariette cul de marmite !
Khrishnamourti Khrishnamourti
Khrishnamourti !

Spread 6

le pape dérape !
bazar bizarre
le pape n'a pas de soupape
balzac beaux-arts
la soupape a un pape
bazaine ! baisers !

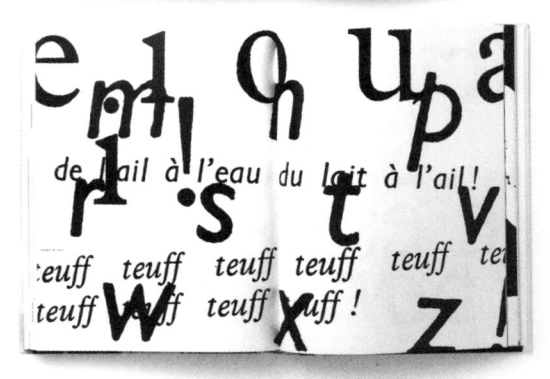

a e c d e g u y
i f o g u l a

Spread 7

e m t i o n u p a
r s t v
de l'ail à l'eau du lait à l'ail !
teuff teuff teuff teuff teuff teuff
teuff w teuff xuff
z !

Spread 8

c'est pas
par là
c'est
par ici !

c'est pas par là
c'est par ici

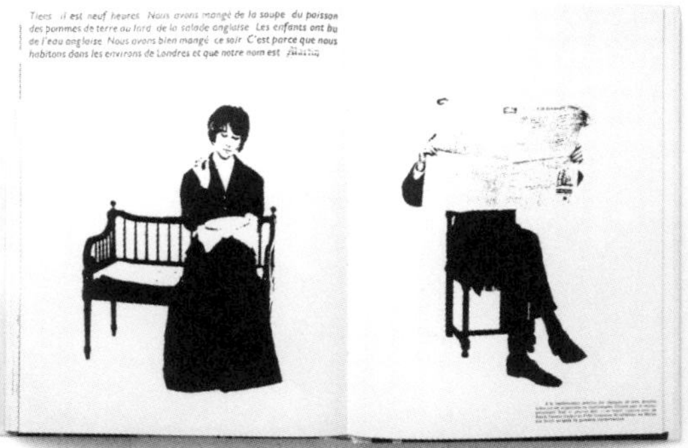
Tiens, il est neuf heures. Nous avons mangé de la soupe, du poisson, des pommes de terre au lard, de la salade anglaise. Les enfants ont bu de l'eau anglaise. Nous avons bien mangé, ce soir. C'est parce que nous habitons dans les environs de Londres et que notre nom est Smith.

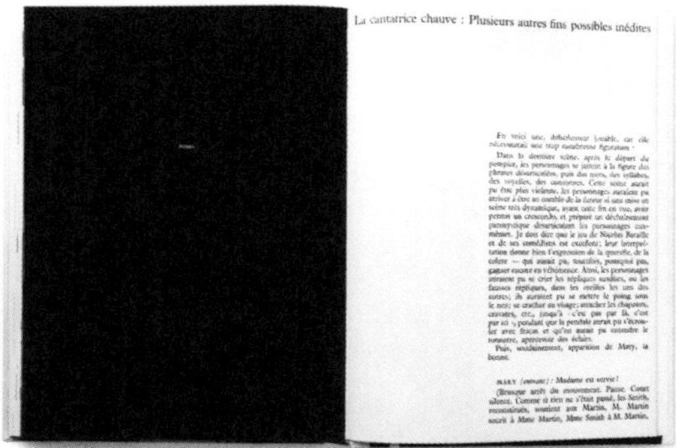
La cantatrice chauve : Plusieurs autres fins possibles inédites

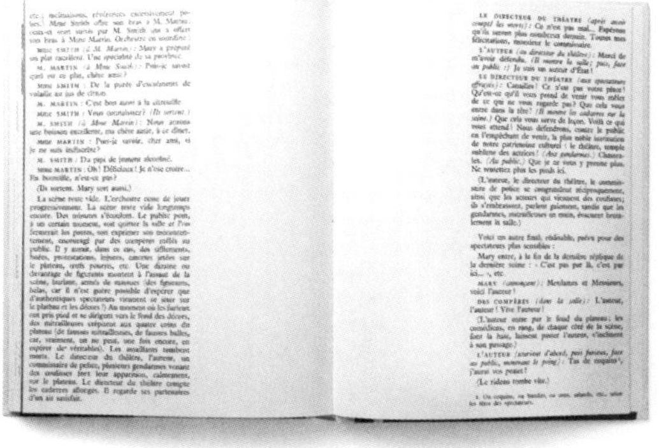

c'est pas par ici
c'est par là
là c'est par ici

Massin exploraria a tipografia como elemento expressivo em outras obras. No autointitulado "ensaio de caligrafia sonora" *Délire à Deux*, de 1966, também com texto de Ionesco, a discussão de um casal acontece em fonte romana para o personagem masculino e itálica para o feminino (ele já lançara mão dessa mesma correspondência por gênero — romano/masculino e itálico/feminino — em *A Cantora Careca*). Dessa vez, as páginas são ocupadas apenas por letras: Massin brinca com diversos pesos, inclinações e sobreposições para construir volumes, entonações e ação. Esse trato pouco ortodoxo reservado aos alfabetos pode dar a impressão de estarmos diante de um iconoclasta; ele, porém, sempre reverenciou as tradições históricas, chegando a afirmar, por exemplo, ser "difícil, pra não dizer desagradável, ler Rabelais em Didot e Victor Hugo em Garamond".

Délire à Deux (*1966*)

La Foule (1965)

La Foule, sobre canção e fotos de Édith Piaf, executada em 1965 para a Grove Press, como parte da divulgação de *A Cantora Careca* nos Estados Unidos, seguiu na mesma toada. Na curta obra — apenas seis páginas —, o efeito de distorção das letras para reproduzir a interpretação da cantora francesa só foi alcançado após se imprimirem as sílabas separadamente em camisinhas de látex para, então, fotografá-las. Hoje, sempre que esse insólito recurso é citado, vem invariavelmente complementado pela frase "numa época em que não havia Photoshop". Tal raciocínio, contudo, exala indigência: a riqueza do trabalho de Massin não morava no fato de executar uma proeza técnica complicadíssima em sua época, hoje tornada fácil pela revolução dos softwares gráficos: ela se encontrava, sim, em imaginá-la. Quando a viabilidade da realização de algo não se apresenta de antemão, o difícil não é encontrar seu modo de execução. O difícil é vislumbrar a possibilidade da existência desse algo.

Livros infantis escritos por Massin publicados no Brasil

Nas décadas seguintes, Massin prosseguiu se exercitando em suportes diversos: ao lado de outras narrativas gráficas e tipográficas, também escreveu textos ficcionais, livros infantis — três deles, aliás, editados no Brasil: *Brincando com os Números* e *Viva a Música*, ilustrados pelo grupo Os Gatos Pelados (Companhia das Letrinhas, 1995 e 1997 respectivamente) e *O Piano das Cores* (Companhia Editora Nacional, 2007), ilustrado por sua filha Laure —, além de ensaios teóricos sobre temas como a história da música, Zola e Dostoiévski. A vastidão de seus interesses, porém, não é atestada apenas pela variedade de assuntos abordados: ela já se faz visível, condensada, em cada uma de suas obras. É isso, aliás, o que explica tamanha multiplicidade de camadas. Mais do que um estudioso de temas específicos, Massin é um apaixonado pela linguagem — pelas linguagens, suas possibilidades e suas interseções — como a máxima expressão da humanidade.

Em 1968, a Editora Senzala lançou no Brasil uma versão da peça *A Navalha na Carne*, de Plínio Marcos, que, apesar de um ou outro recurso gráfico distinto da obra do francês, é decalque indelével de seu princípio visual. O espírito e o ritmo da narrativa, porém, não alcançam as notas do original. Longe de um demérito (a adaptação feita por Walter Hüne é bastante interessante), o fato serve apenas para evidenciar como a busca de Massin por "manter o leitor ciente da passagem do tempo e da noção de espaço" em *A Cantora Careca* foi executada com extrema maestria.

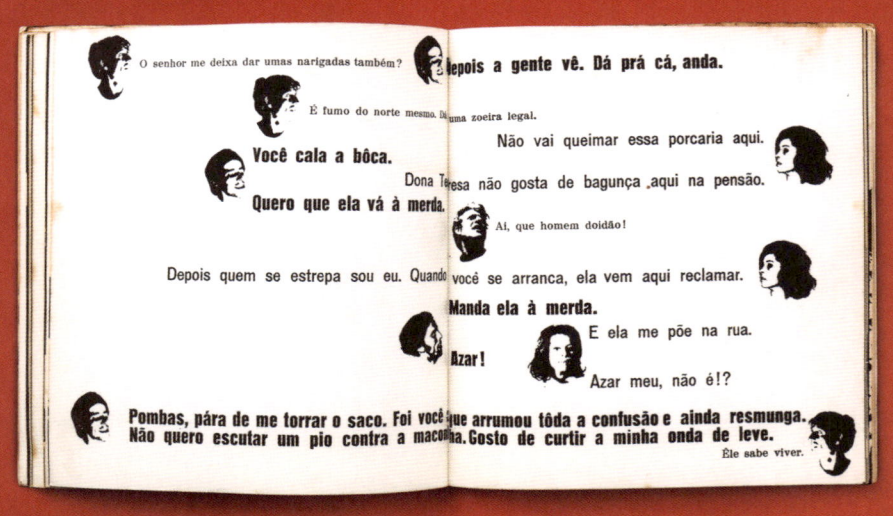

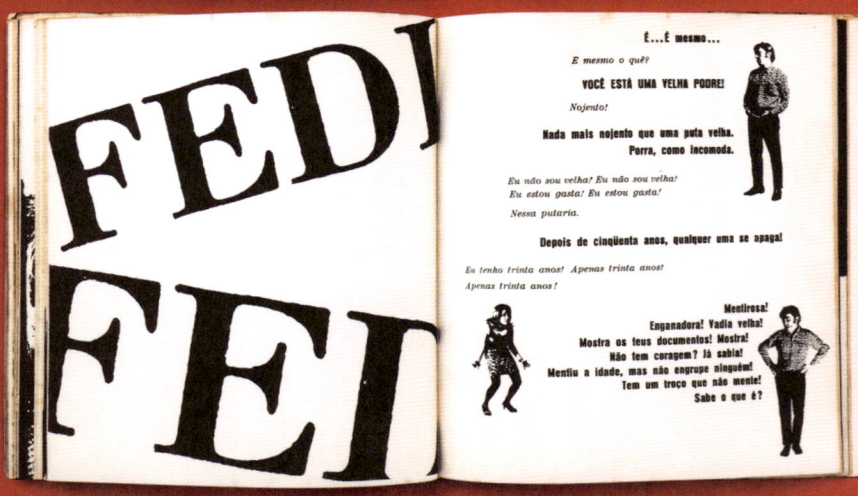

Page 1

Pra mim é o fim!
Bruto! Cafajeste!
Cala essa bôca,
fresco de uma figa!
Me deixa sair.
Senta ai, miserável!
Ai! Ai! Que deu
nesse homem?

Vamos conversar,
seu sem-vergonha.
Se a Neusa Sueli gosta
de apanhar, bate nela!
Eu não gosto de coisas
brutas, não sou tarado!
Êle está me batendo,
Neusa Sueli!
EXPLICA TUDO DIREITINHO!
VAI SER MELHOR PRA VOCÊ.

Explicar o quê?
Quem mandou você
pegar o dinheiro?
Que dinheiro?
O que você pegou!
Deus me livre!
Que dinheiro que peguei?
Ai, meu Deus!
Nem sei de que estão
falando.
Cadê a grana, Veludo?
Ai, ai, seu cafetão nojento!
Tua mulher não te dá
dinheiro, quer pegar o meu?

Se abre logo!
Miserável!
Vai bater na
cara de tua mãe!
Porco!
Essa vaca da Sueli
não te dá moleza, é?
Pensa que vou te dar?
Nojento! Cafetão! Mineteiro!
Cala o bico!
Vai morrer morfético!
Tu e essa
perebenta!
Essa suadeira!

Page 2

NOJENTO

Page 3

VOVÓ DAS PUTAS É A VACA QUE TE PARIU!

coleção gráfica particular | **Lote 42 & CASA REX**

Esta coleção, o nome já diz, busca destacar itens específicos da produção impressa. Seu critério de seleção é assumidamente desorganizado ("particular", se preferir): valem medalhões, valem obscuros; antigos ou contemporâneos; passadela por obras amplas ou olhar detido sobre algum detalhe; etc. etc. Ela também não demarca territórios nem aponta vertentes. Pelo contrário. Seu objetivo não é o de direcionar gostos pra lá ou pra cá, mas sim estimular cada um na elaboração de seu cânone gráfico particular.

Gustavo Piqueira é o responsável pela curadoria e pelos textos dos livros da coleção – bem como por eventuais desacertos, imprecisões ou escorregadelas.

Existem diversas fontes de conteúdo sobre Massin e sua adaptação de *A Cantora Careca*. As duas mais utilizadas para a redação deste livro foram a matéria "Language Unleashed", publicada na *Eye Magazine* em 1995 (e disponível na internet) e o livro *Massin*, de Laetitia Wolff, editado pela Phaidon em 2007, extensa biografia do francês (que contém várias imagens da confecção de *A Cantora Careca*, como contatos fotográficos e marcações de página feitas por Massin). Do livro, aliás, saíram a imagem de *La Foule* e o retrato de Massin aqui impressos. As demais imagens foram fotografadas de originais.

Os trechos da peça vertidos para o português aqui utilizados foram retirados da tradução feita por Maria Lúcia Pereira editada em 1993 pela Papirus, dentro da Coleção em Cena e diagramados na Casa Rex por Samia Jacintho.

Tomei conhecimento da edição de *A Navalha na Carne* através dos blogs http:/gramatologia.blogspot.com.br e http:/pedromarquesdg.wordpress.com.

Este livro é composto em Mercury, Cera PRO e Helvetica Neue.

Suas 48 páginas foram impressas na gráfica Pigma em papel offset 150g/m². A cinta foi impressa em serigrafia, em papel Colorplus Saara 180g/m², nas oficinas gráficas da Casa Rex.

Foram produzidos 1.000 exemplares.

Copyright © 2018 by Lote 42 para a presente edição.
Copyright © 2018 by Gustavo Piqueira.

Todos os direitos reservados. Nenhuma parte desta edição pode ser utilizada ou reproduzida nem apropriada ou estocada em sistema de banco de dados sem a expressa autorização da editora.

Texto fixado conforme as regras do novo Acordo Ortográfico da Língua Portuguesa (Decreto Legislativo n.º 54, de 1995).

Edição geral: João Varella e Cecilia Arbolave
Projeto gráfico: Gustavo Piqueira / Casa Rex
Revisão: Trisco Comunicação

1.ª edição, 2017

Dados Internacionais de Catalogação na Publicação (CIP) de acordo com ISBD
Odilio Hilario Moreira Junior – CRB-8/9949

P666c Piqueira, Gustavo
   A cantora careca de Massin / Gustavo Piqueira. – São Paulo : Lote 42, 2018.
   48 p. : il. ; 14cm x 27cm. – (Coleção Gráfica Particular)
   ISBN: 978-85-66740-34-9
   1. Design gráfico. 2. Impressão gráfica. 3. Linguagem visual. 4. Tipografia. 5. Linguagem visual. I. Título. II. Série.

           CDD 686
2018-323   CDU 655.26

A Cantona Careca de Massin é o livro nº 31 da Lote 42.

lote42.com.br @Lote42